1551820054

中华人民共和国电力行业标准

220kV～1000kV变电站通信设计规程

Code for design of communication
of 220kV～1000kV substation

DL/T 5225—2016
代替 DL/T 5225—2005

主编部门：电力规划设计总院
批准部门：国 家 能 源 局
施行日期：2017年5月1日

中国计划出版社

2016 北京

国 家 能 源 局
公 告

2016 年 第 9 号

依据《国家能源局关于印发〈能源领域行业标准化管理办法（试行）〉及实施细则的通知》（国能局科技〔2009〕52号）有关规定，经审查，国家能源局批准《煤层气集输设计规范》等373项行业标准，其中能源标准（NB）66项、能源/石化标准（NB/SH）29项、电力标准（DL）111项、石油标准（SY）167项，现予以发布。

上述标准中煤层气、生物液体燃料、电力、电器装备领域标准由中国电力出版社出版发行，煤制燃料领域标准由化学工业出版社出版发行，煤炭领域标准由煤炭工业出版社出版发行，石油天然气领域标准由石油工业出版社出版发行，石化领域标准由中国石化出版社出版发行，锅炉压力容器标准由新华出版社出版发行。

附件：行业标准目录

国家能源局
2016 年 12 月 5 日

附件：

行业标准目录

序号	标准编号	标准名称	代替标准	采标号	批准日期	实施日期
……						
163	DL/T 5225—2016	220kV～1000kV变电站通信设计规程	DL/T 5225—2005		2016-12-05	2017-05-01
……						

前　言

根据《国家能源局关于下达2012年第一批能源领域行业标准制（修）订计划的通知》（国能科技〔2012〕83号）的要求，标准编制组经广泛调查研究，认真总结变电站通信设计方面的设计工作经验，并在广泛征求意见的基础上，对原行业标准《220kV～500kV变电所通信设计技术规定》DL/T 5225—2005进行修订。

本标准主要内容是：总则、基本规定、变电站业务通道需求、变电站通信设施、设计范围及分工界面和变电站通信设计等。

本次修订的主要内容是：

1. 将标准的适用范围由"220kV～500kV"调整为"220kV～1000kV"；

2. 修改了直流通信电源系统配置和蓄电池供电时间的要求；

3. 修订了通信用房间的设置要求；

4. 修订了调度程控交换机的设置要求，增加了IP调度和行政电话的配置要求；

5. 增加了数据通信网、动力环境监控、会议电视等内容。

本标准自实施之日起，替代《220kV～500kV变电所通信设计技术规定》DL/T 5225—2005。

本标准由国家能源局负责管理，由电力规划设计总院提出，由能源行业电网设计标准化技术委员会负责管理，由中国电力工程顾问集团东北电力设计院有限公司负责具体内容的解释。执行过程中如有意见和建议，请寄送电力规划设计总院（地址：北京市西城区安德路65号，邮政编码：100120）。

本标准主编单位、参编单位、主要起草人和主要审查人：

主 编 单 位：中国电力工程顾问集团东北电力设计院有限公司

参 编 单 位：国网北京经济技术研究院
主要起草人：尤天晴　张　顼　刘　洁　姜伟明　朱玉林
　　　　　　王玉东　刘丽蓉　辛培哲
主要审查人：李树辰　张印昶　陈新南　黄　盛　运志涛
　　　　　　陆　军　姜利民　薛永兴　刘　涛　金志民
　　　　　　方显业　王根华　李艳芳　刘　凯　张　健

目 次

1 总 则 ·· (1)
2 基本规定 ·· (2)
3 变电站业务通道需求 ·································· (3)
　3.1 变电站通信业务及其对传输通道要求 ·············· (3)
　3.2 变电站主要业务承载方式及带宽需求 ·············· (3)
4 变电站通信设施 ······································ (4)
5 设计范围及分工界面 ·································· (5)
　5.1 设计范围 ··· (5)
　5.2 分工界面 ··· (5)
6 变电站通信设计 ······································ (6)
　6.1 通道组织 ··· (6)
　6.2 电力线载波通信 ·································· (6)
　6.3 调度及行政电话 ·································· (6)
　6.4 数据通信网 ······································· (7)
　6.5 会议电视 ··· (7)
　6.6 通信动力环境监控 ································ (7)
　6.7 通信电源 ··· (7)
　6.8 通信用房 ··· (8)
　6.9 设备布置及安装 ·································· (9)
　6.10 通信缆线敷设 ··································· (10)
　6.11 接地 ·· (11)
附录 A 变电站主要业务承载方式及带宽典型值 ··········· (13)
本标准用词说明 ··· (14)
引用标准名录 ··· (15)
附:条文说明 ··· (17)

Contents

1 General provisions (1)
2 Basic requirements (2)
3 Service channel requirements of substation (3)
   3.1 Communication service and transmission channel requirements of substation (3)
   3.2 Service bearing mode and bandwidth requirements of substation (3)
4 Substation communication facilities (4)
5 Scope and interface of design (5)
   5.1 Scope of design (5)
   5.2 Interface of design (5)
6 Design of substation communication (6)
   6.1 Channel organization (6)
   6.2 Power line carrier communication (6)
   6.3 Dispatching and administration telephone (6)
   6.4 Data communication network (7)
   6.5 Video conference (7)
   6.6 Communication power supply and environment monitoring (7)
   6.7 Power supply for communication equipment (7)
   6.8 Room for communication equipment (8)
   6.9 Layout and installation of equipment (9)
   6.10 Communication cable laying (10)
   6.11 Grounding (11)

Appendix A Service bearing mode and bandwidth
           typical value for substation ·················· (13)
Explanation of wording in this standard ·················· (14)
List of quoted standards ··· (15)
Addition:Explanation of provisions ························· (17)

1 总　　则

1.0.1 为了适应国家及行业标准化建设的需要，达到统一规范变电站通信设计技术原则的目的，使变电站的通信设计符合国家的有关政策、法规，达到安全可靠、先进适用、经济合理、节能环保的要求，制定本标准。

1.0.2 本标准适用于交流电压为220kV～1000kV变电站（含开关站）新建及改、扩建工程的通信设计。

1.0.3 变电站通信设计中，应主要采用定型产品，积极慎重地采用和推广经过试验及鉴定的、具备应用条件的新设备、新材料、新技术和新工艺。

1.0.4 变电站通信设计除应符合本标准外，尚应符合国家现行有关标准的规定。

2 基本规定

2.0.1 变电站通信设计应遵循审定的相关通信网规划及项目前期评审意见。

2.0.2 变电站通信设计应按变电站的规模容量、调度关系、所在电力通信网的技术体制及其在电网及通信网中所处的位置设置通信设施,并留有适当发展余地。

2.0.3 变电站应设置系统通信、站内通信、与当地公共通信网的通信等。

2.0.4 变电站通信应满足电力调度通信、调度自动化、继电保护、安全自动装置、电力生产信息化管理等多个系统对通道的要求。

2.0.5 变电站与其电网调度机构之间应至少具有两个独立的调度通信通道或两种通信方式。

2.0.6 变电站系统通信可采用光纤通信、微波通信、卫星通信、电力线载波通信等多种通信方式,优先采用光纤通信方式。

2.0.7 变电站通信中数据通信网、会议电视等应与所接入网络的技术体制一致。

2.0.8 变电站通信设计应与系统继电保护及调度自动化等其他二次系统设计同期进行。

2.0.9 变电站通信设计应考虑各级通信资源的共享,充分利用已有资源。

2.0.10 变电站通信设计应遵循变电站资产全寿命周期管理理念。

3 变电站业务通道需求

3.1 变电站通信业务及其对传输通道要求

3.1.1 变电站通信业务主要包括：调度电话、调度自动化、继电保护及安全自动装置、生产管理、会议电视及办公自动化等信息。

3.1.2 变电站通信主要业务对传输通道的要求应符合下列规定：

　　1 变电站至其电网调度机构的调度电话应具备两条独立的电力专网通信路由；

　　2 变电站至其电网调度机构的调度自动化业务信息的传输应具备两条不同路由的通道；

　　3 同一条线路的两套继电保护和同一系统的有主/备关系的两套安全自动装置应具备两条相互独立的通道，并应符合国家现行标准《继电保护和安全自动装置技术规程》GB/T 14285 和《光纤通道传输保护信息通用技术条件》DL/T 364 的规定。

3.2 变电站主要业务承载方式及带宽需求

3.2.1 采用电路交换技术时，变电站调度电话、行政电话等语音业务应采用光纤传输网承载。采用 IP（网际协议 Internet Protocol）技术时，调度电话可承载在调度数据网或数据通信网，并采用 VPN（虚拟专用网 Virtual Private Network）隔离，行政电话宜承载在数据通信网。

3.2.2 继电保护、安全自动装置信号宜采用光纤通道传输。

3.2.3 调度自动化及故障录波等生产控制类信息应采用调度数据网或专线方式承载。

3.2.4 生产管理及办公自动化等管理信息应采用数据通信网承载。

3.2.5 变电站主要业务承载方式及带宽典型值应符合本标准附录 A 的规定。

4 变电站通信设施

4.0.1 变电站系统通信包括变电站与对侧厂站、调度机构及相关运行维护管理部门之间的通信。

4.0.2 变电站与调度机构、相关运行维护管理部门的通信包括调度电话、行政电话、数据通信网、会议电视系统、动力环境监控系统等。变电站应配置相应的通信设施，以满足生产调度、运行维护、生产管理等业务的需要。

4.0.3 站内通信包括站区内的行政电话通信和信息网络通信。

4.0.4 变电站应设置与公共通信网的通信，可设置1至2部公网电话。

4.0.5 变电站应设置满足通信设备供电要求的电源系统。

4.0.6 变电站应考虑通信设备布置所需的通信用房。

5 设计范围及分工界面

5.1 设计范围

5.1.1 变电站通信设施中站内通信、数据通信网、会议电视、动力环境监控系统、通信电源、通信用房、电力线载波、调度电话等应为变电站通信设计范围。

5.1.2 光纤通信、微波通信、卫星通信等内容应另列单项工程设计。

5.2 分工界面

5.2.1 继电保护、调度自动化和变电二次等专业与通信专业的设计分工界面,以通信设备输入/输出端口(或配线设备端口)为界。

5.2.2 变电站一体化电源系统的通信设计分工界面,以直流配电屏输出端子为界。

6 变电站通信设计

6.1 通道组织

6.1.1 变电站各类业务的通道在系统通信工程中组织,所组织的业务通道应满足本标准第3.1.2条的要求。

6.2 电力线载波通信

6.2.1 220kV～500kV线路无法满足继电保护双光纤通道路由要求时,可采用电力线载波通信方式。

6.2.2 经过重冰区段的220kV～500kV线路,可采用电力线载波作为调度通信及继电保护的应急通信方式。

6.2.3 电力线载波机宜选择电话、远动和继电保护复用机。电力线载波通道的耦合方式,500kV/330kV线路宜采用相-相耦合,220kV线路宜采用相-地耦合。

6.2.4 电力线载波通道和频率的安排应确保各通道之间的相互串扰不超过规定值。

6.2.5 电力线载波通道信噪比允许值、不同电压等级输电线路上4kHz带宽的噪声功率电平的建议值、设备选型、通道衰减计算方法等应按现行行业标准《电力线载波通信设计技术规程》DL/T 5189执行。

6.3 调度及行政电话

6.3.1 变电站至其电网调度机构应至少设置2部调度电话。

6.3.2 330kV及以上变电站宜设置1台用户线不超过48线的调度通信交换机,兼做站内行政通信使用。调度通信交换机应具备录音功能。

6.3.3 调度通信交换机的其他技术要求应符合现行行业标准《电

力系统调度通信交换网设计技术规程》DL/T 5157 的规定。

6.3.4 有人值班变电站宜配置电力专网行政电话,接入运行维护管理单位的行政电话交换系统,兼做变电站调度电话的备用。无人值班变电站可不设置电力专网行政电话。

6.3.5 变电站配置的行政交换设备采用的技术体制宜与运行维护单位行政交换系统保持一致。

6.4 数据通信网

6.4.1 变电站应设置 1 套数据通信网设备。

6.4.2 变电站数据通信网设备应符合所接入数据通信网的技术体制和组网原则。

6.5 会议电视

6.5.1 变电站可配置 1 套会议电视终端。

6.5.2 变电站会议电视终端建设期间接入建设管理单位的会议电视系统,投入运行后接入运行管理单位的会议电视系统。

6.5.3 变电站会议电视终端的组网协议、压缩编码标准等技术体制应遵从所接入的会议电视系统。

6.6 通信动力环境监控

6.6.1 通信动力环境监控应与全站生产辅助系统统一考虑,监视信息应能接至相应的通信运行维护管理部门。

6.6.2 变电站通信动力环境监控系统主要监控以下内容:
 1 通信机房环境:烟感、水浸、温度、湿度、门禁等;
 2 通信电源设备的运行状态信息;
 3 通信机房视频。

6.7 通信电源

6.7.1 变电站应设置 2 套稳定可靠的直流通信电源系统给设备

供电，以保证通信畅通。

6.7.2 变电站内通信所需交流电源，应由可靠的、来自不同站用电母线段的双回路交流电源供电。

6.7.3 通信用直流电源系统的额定电压应为直流－48V。

6.7.4 220kV变电站宜配置2套交直流一体化电源系统，通信部分容量应按其设计年限内变电站通信设备的总耗电量配置，每套一体化电源系统配置的蓄电池组为通信设备的单独供电时间不应小于4h。

6.7.5 330kV及以上变电站宜配置2套独立的通信专用直流电源系统，通信专用直流电源系统由高频开关电源、免维护蓄电池组和直流配电屏等组成。通信电源容量应按其设计年限内变电站通信设备的总耗电量配置。每套电源系统配置的蓄电池组单独供电时间不应小于4h。

6.7.6 高频开关电源设备应具有完整的防雷措施、智能监控接口、主告警输出干接点等。

6.8 通信用房

6.8.1 变电站通信设备宜与控制、保护、远动等设备合并房间布置，并应相对集中。设置独立通信机房时，应考虑与其他专业之间的接口屏柜布置所需的机房面积。

6.8.2 变电站通信设计应充分考虑通信设备的屏位布置，满足远期通信屏位需求。

6.8.3 配置独立通信电源时宜设置独立蓄电池室，也可与站用直流电源蓄电池室合并。

6.8.4 变电站通信用房的位置除应满足所区总平面布置要求和远离易燃、易爆、强烈震动、粉尘污染、汽水腐蚀、强电磁场、背景噪声较大的地方外，还应考虑维护管理方便及管线布置合理。

6.8.5 通信机房应采用便于清洁维护的室内墙面（如油漆或其他涂料罩面）和地面（如水磨石或防静电活动地板），门窗应密封防尘。

6.8.6 通信机房宜设置空气调节装置,蓄电池室应有良好的通风设施。

6.8.7 通信机房、蓄电池室应装设可靠的事故照明。

6.8.8 变电站通信用房技术要求应符合表6.8.8的规定,变电站通信设备与控制、保护、远动等设备合并布置时,设备运行环境应满足通信用房技术要求。

表6.8.8 变电站通信用房技术要求

序号	项目	通信机房	通信蓄电池室
1	净高(m)	不小于3.0	不小于3.0
2	地面荷载(kg/m^2)	450~600	600~1000
3	地面材料	水磨石、防静电活动地板	水磨石、瓷砖
4	室内表面处理	水泥石灰砂浆粉白,表面刷浅色油漆或壁纸	水泥石灰砂浆粉白,表面刷浅色防酸漆
5	门	外开双扇,宽度不小于1.4m	外开单扇,宽度不小于1m
6	窗	良好密闭	避免直接光
7	温度(℃)	16~28	5~35
8	相对湿度	80%以下	80%以下
9	照度(lx)	一般照明300~500 事故照明45	一般照明100 事故照明15
10	空调	设置空调	良好通风

6.9 设备布置及安装

6.9.1 机房内设备布置应符合下列规定:

  1 合理利用机房面积,维护方便、操作安全、便于施工、有利于发展扩建,注意整齐美观;

  2 符合抗震加固要求,有利于自然采光;

  3 同类设备宜相对集中,设备布置应有利于缩短架间布线。

6.9.2 设备机架宜采用面对面或面对背的单面排列方式。

6.9.3 通信机房通信设备布置的维护间隔应符合下列规定：
    1 维护走道宽度应符合下列规定：
        1）主要维护走道宽度：设备单侧排列的机房为1.2m～1.5m，设备双侧排列的机房为1.2m～1.8m；
        2）次要维护走道宽度为0.8m～1.2m。
    2 机列之间的距离应符合下列规定：
        1）相邻机列面与面之间的净距为1.2m～1.5m；
        2）相邻机列面与背之间的净距为1.0m～1.2m；
        3）相邻机列背与背之间的净距为0.8m～1.0m；
        4）机面与墙的净距不小于1.0m；
        5）需要背面维护的设备机背与墙的净距为0.8m～1.0m；
        6）当不影响设备散热，且机背没有维护工作时设备可靠墙布置。
    3 机房条件受限时，可略小于上述规定，但仍应满足机房楼面荷载要求。

6.9.4 线路阻波器安装方式分为悬挂式或支撑式，宜采用悬挂式。

6.9.5 结合滤波器应安装在耦合电容器或电容式电压互感器下部，距地面高度以1.3m为宜。

6.9.6 结合滤波器初级端子、耦合电容器或电容式电压互感器的低压端子和接地刀闸上端子之间必须用截面不小于16mm^{2}的裸铜线可靠连接（中间不准有接头）。

6.9.7 线路阻波器、结合滤波器、耦合电容器或电容式电压互感器的安装设计由电气本体专业负责。

6.10 通信缆线敷设

6.10.1 变电站站内宜进行统一的综合布线。信息点的布置应根据实际需求确定。

6.10.2 建筑物内的通信电缆宜采用暗配线敷设方式。

6.10.3 变电站站区内通信缆线敷设宜利用电气电缆沟敷设,无电缆沟可供利用时,可采用直埋或套管直埋方式敷设。

6.10.4 站内通信电缆选择宜遵循以下原则:

　　1 直埋敷设时,宜采用钢带铠装电缆或非铠装电缆穿钢管方式;

　　2 室外电缆沟敷设时,宜采用钢带铠装电缆;

　　3 室内短距离敷设时,宜采用全塑电缆,不宜选用铠装电缆。

6.10.5 独立通信机房内强弱电线缆宜分槽布线。

6.10.6 变电站站内引入光缆应采用两个不同的路径进入通信用房。

6.10.7 变电站的引入光缆应选择非金属阻燃光缆,光缆应具备防鼠咬性能或采用防火阻燃且塑料套管敷设。

6.10.8 变电站出线构架两侧宜预埋钢管至电缆沟,用于敷设引入光缆。

6.11 接　　地

6.11.1 变电站通信的过电压保护和接地设计,应符合国家现行标准《交流电气装置的过电压保护和绝缘配合》DL/T 620、《交流电气装置的接地设计规范》GB/T 50065 和《电力系统通信站过电压防护规程》DL/T 548 的规定。当变电站内设有微波通信时,还应符合现行行业标准《电力系统数字微波通信工程设计技术规程》DL/T 5025 的规定。

6.11.2 变电站通信设备的接地应按联合接地的原理设计,即通信设备的工作接地、保护接地合用一组接地体(即变电站总接地网)。

6.11.3 机房内应设环形接地母线,并应就近两点以上(含两点)接至全站总接地网。环形接地母线应采用截面不小于 90mm^2 的铜排或 120mm^2 的镀锌扁钢。

6.11.4 通信机房内的交流电力线应有金属外皮或敷设在金属

管内。

6.11.5 通信设备各直流电源的正极"+",在电源设备侧和通信设备侧均应直接接地,接地线宜用多股铜导线,其截面应根据最大故障电流确定。

6.11.6 结合滤波器接地端子、接地刀闸下端子和总接地网之间必须用截面不小于 $25\times4mm^2$ 的扁钢可靠连接。它们之间的连接方式必须保证在任何情况下耦合电容器的低压端子对接地网不开路。

6.11.7 通信设备的下列金属部分应做保护接地:

    1 通信设备的金属机架;

    2 配线架的金属骨架和金属保安器排等;

    3 通信用交、直流电源屏,高频开关电源等金属机架;

    4 音频电缆和电源电缆的金属外皮和屏蔽层;

    5 处在同一接地网中的高频电缆的两端的金属外导体,金属铠装与接地网应可靠电气连接,当不处于同一接地网时,仅将载波机端的金属外导体、金属铠装与接地网可靠电气连接。

6.11.8 当变电站内接地装置的接地电阻不符合 $R \leqslant 2000/I$ [R——考虑到季节变化的最大接地电阻(Ω),I——流经接地装置的入地短路电流(A)]时,对可能将接地网的高电位引向站外或将低电位引向站内的通信设施应采取隔离措施,隔离措施的耐压水平应与地电位升高值相适应。通信电缆中未用的线对应在终端配线架上接地。

附录 A 变电站主要业务承载方式及带宽典型值

表 A 变电站主要业务承载方式及带宽典型值

序号	业 务	承载方式		通道带宽典型值（bit/s）	备注
1	调度电话、行政电话等		SDH	2M	
2	线路主保护		SDH/光纤纤芯	2M/2芯	单通道
3	安全自动装置		SDH	2M	单通道
4	IP 调度电话	调度数据网	SDH	4×2M	单通道
5	计算机监控				
6	电能量计量				
7	同步向量测量				
8	保护及故障录波				
9	生产管理	数据通信网	SDH/光纤纤芯	(20M～155M)/2芯	单通道
10	会议电视				
11	办公自动化				
12	IP 行政电话				
13	IP 调度电话				
14	生产辅助系统				

注：除本站业务外，通信电路容量还应考虑汇聚上联至本站的电网生产和管理业务的带宽。

本标准用词说明

1 为便于在执行本标准条文时区别对待,对要求严格程度不同的用词说明如下:
　　1)表示很严格,非这样做不可的:
　　　正面词采用"必须",反面词采用"严禁";
　　2)表示严格,在正常情况下均应这样做的:
　　　正面词采用"应",反面词采用"不应"或"不得";
　　3)表示允许稍有选择,在条件许可时首先应这样做的:
　　　正面词采用"宜",反面词采用"不宜";
　　4)表示有选择,在一定条件下可以这样做的,采用"可"。
2 条文中指明应按其他有关标准执行的写法为:"应符合……的规定"或"应按……执行"。

引用标准名录

《交流电气装置的接地设计规范》GB/T 50065
《继电保护和安全自动装置技术规程》GB/T 14285
《光纤通道传输保护信息通用技术条件》DL/T 364
《电力系统通信站过电压防护规程》DL/T 548
《交流电气装置的过电压保护和绝缘配合》DL/T 620
《电力系统数字微波通信工程设计技术规程》DL/T 5025
《电力系统调度通信交换网设计技术规程》DL/T 5157
《电力线载波通信设计技术规程》DL/T 5189

中华人民共和国电力行业标准

220kV~1000kV 变电站通信设计规程

DL/T 5225—2016
代替 DL/T 5225—2005

条 文 说 明

修 订 说 明

《220kV～1000kV变电站通信设计规程》DL/T 5225—2016，经国家能源局2016年12月5日以第9号公告批准发布。

本标准是在《220kV～500kV变电所通信设计技术规定》DL/T 5225—2005的基础上修订而成，上一版的主编单位是东北电力设计院，主要起草人是何必慧、王玉东、苏中华。

本标准修订的主要原则如下：

1. 在调研、总结国内已建主要变电工程的设计、供货、建设和运行的基础上，分析总结变电站通信设计特点，对变电站通信设计进行修订；

2. 贯彻国家的基本建设方针和技术经济政策，执行国家的有关法律、法规、标准和规范，达到安全可靠、先进适用、经济合理、资源节约、环境友好的目标；

3. 本标准引用相关的国家标准和行业标准，使其保持与现行相关标准之间的协调；

4. 条文内容定性准确，定量有依据，其内容成熟且行之有效，不成熟或不具备应用推广条件的技术不纳入本标准。

为便于广大设计、施工、科研、学校等有关单位在使用本标准时能正确理解和执行条文规定，编制组按章、节、条顺序编制了本标准的条文说明，对条文规定的目的、依据以及执行中需要注意的有关事项进行了说明。但是，本条文说明不具备与标准正文同等的法律效力，仅供使用者作为理解和把握标准规定的参考。

目 次

3 变电站业务通道需求 …………………………………（23）
　3.1 变电站通信业务及其对传输通道要求 ……………（23）
　3.2 变电站主要业务承载方式及带宽需求 ……………（23）
4 变电站通信设施 ………………………………………（24）
6 变电站通信设计 ………………………………………（25）
　6.1 通道组织 ……………………………………………（25）
　6.2 电力线载波通信 ……………………………………（25）
　6.3 调度及行政电话 ……………………………………（25）
　6.6 通信动力环境监控 …………………………………（25）
　6.8 通信用房 ……………………………………………（25）
　6.11 接地 …………………………………………………（25）

3 变电站业务通道需求

3.1 变电站通信业务及其对传输通道要求

3.1.2 本条参照调度自动化和继电保护等专业的有关规程制订。

3.2 变电站主要业务承载方式及带宽需求

3.2.5 各地区通信网和业务网的建设和使用情况存在差异，变电站主要业务的承载方式和带宽值应视情况而定，但应保证业务对通道的安全可靠和带宽需求。

4 变电站通信设施

4.0.6 通信用房包括专用通信机房、蓄电池室或与其他专业共用的设备房间。

6 变电站通信设计

6.1 通道组织

6.1.1 变电站业务通道组织在配套的系统通信工程中进行比较合理,但应满足变电站各类业务对通道的有关技术要求。

6.2 电力线载波通信

6.2.1 750kV及以上线路已很少开通载波电路,本标准不对其做详细规定,具体设计时可参考现行行业标准《电力线载波通信设计技术规程》DL/T 5189的相关规定。

6.3 调度及行政电话

6.3.2 电力专网行政电话和公网电话可作为调度电话的备用,因此330kV及以上变电站设置1台冗余配置的调度程控交换机可以满足调度通信的可靠性要求。

6.6 通信动力环境监控

6.6.1 变电站通信动力环境监控应与变电站生产辅助系统统一考虑,如生产辅助系统无法实现兼容,则通信动力环境监控系统可单独设置。

6.8 通信用房

6.8.1~6.8.8 变电站通信设备与控制、保护、远动等设备合并布置的房间称为通信用房,通信设备独立布置的房间称为通信机房。

6.11 接 地

6.11.5 原标准接地线截面要求一般为$25mm^2 \sim 95mm^2$,现行行业标准《电力系统通信站过电压防护规程》DL/T 548 要求为 $16mm^2 \sim 95mm^2$，本次修订取消具体的截面要求，设计时根据最大故障电流计算确定。